노을지기 이른시간

이동우 작가 시선1집 개정판

노을지기 이른시간 개정판

발 행 | 2024년 07월 31일
저 자 | 이동우
펴낸이 | 한건희
펴낸곳 | 주식회사 부크크
출판사등록 | 2014.07.15(제2014-16호)
주 소 | 서울특별시 금천구 가산디지털1로 119 SK트윈타워 A동 305호
전 화 | 1670-8316
이메일 | info@bookk.co.kr

ISBN | 979-11-410-9882-7

www.bookk.co.kr

노을지기 이른시간

찬란히 동트고
뜨거운 정오 지나
땀 닦고 돌아 앉은 오후
노을은 아름다우나
그래도 지금은
노을지긴 아직
이른 시간이다

『노을지기 이른시간』 中에서

Content

제2부 새로이 시작하는 일

제3부 일상에 서서

시인의 말

삼십년의 대기업 생활을 마치고 게으른 핑계이지만 비로소 시를 쓸 시간과 여유를 가지게 되었습니다.
그간 돌보지 못했던 나에게 이제야 미안한 생각이 들어 조그만 선물같은 글을 쓰면서 새롭게 살아갈 시간을 소중히 정리하고 계획합니다.

스스로 선택하지 않았고 원하지도 않았던 도그마에 빠져 삶을 즐기는 자유를 누리지 못하다가, 오랜 직장생활을 마무리하고 인생 2막을 시작하며 이제 서서히 그리고 진지하게 스스로에 대한 답을 구해 가는 중입니다.
누구나에게 예외없이 주어진 시간에 대한 한계성과 산다는 것에 대한 원초적인 질문을 끊임없이 던지면서, 소중한 것에 대한 순위를 재배열하고 그간 잊어버렸던 나를 서두르지 않고 조용히 찾아가려 합니다.
시를 쓰면서 새로운 나를 발견하기도 하고, 처음 느껴 보는 참회의 감정에 몸서리 치다가, 느껴보지 못했던 혼자

만의 재미에 빠져 들기도 하면서 남은 시간 속에 새로이 퍼져가는 물 동그라미를 계속해서 만들어가고 있습니다.

마지막으로 지금 이 순간 인생 2막을 살거나 준비하면서 고민을 하고 계시거나, 혹은 막연한 미래에 대한 준비와 염려로 힘들어 하시는 모든 분들께 이 시집이 조금이나마 휴식같은 위로가 될 수 있기를 바래 봅니다.

붉게 물든 노을이 멋진 어느날 오후에

이 동 우

제1부 기지개를 켜다

나에게 쓰는 시

마음이 가지 않으면
하지 말아라

참은 시간이
하늘을 이고져
고개 고개 넘어
마른 눈물
깊이 자욱지고
가슴 멍울 여럿
훈장처럼 걸렸다

시간이 칼이 되어
벌거벗은 몸뚱이에
쓰디쓴 생채기 져도
터덜터덜 여기까지
숨고르며 왔는데

이제는 참지 말고
손 가는 걸 해라
마음 가는 걸 해라

소중하고 편안하게
아끼고 보듬어
하고 싶은 것만
원하는 만큼만
꼭 그 만큼만 해라

험난한 이 한세상
견디고 견뎌줘서
마음이 잘했단다
가슴이 고맙단다

따스한 볕드는
소박한 책상
편안한 의자에
소복이 내려 앉은

안심과 위안을

누리고 또 누려라

익숙해지기 전에

익숙함이 내려앉기 전에
떠날 준비를 한다
이럴 줄 알아서
이러고 싶어서
이곳에 왔나 보다

익숙해지면
그대로 서 있을까봐
그래서 또 고민하다
이래도 좋고
저래도 좋을까봐
어렵게 내려놓은
세월 때묻은 가방을
만지작 거린다

지난 시절
약속된 자리에
터 잡은 마음
툭툭 털어
어깨 가벼운 곳으로
떠날거다

그래서
붙잡아 주던
부채질 하던
관심을 두지 않고
새 발길 닿는 곳에
잠시의 둥지를 틀고
그 가방을 던져 둘거다

살아보니 알겠더라

살포시 내려앉아
울림없던 기억의 조각
그 조그만 추억들이
얼마나 소중한지
살아보니 알겠더라

당연하던
작은 여유와 배려가
아직은 믿을만한
건강과 안정이
얼마나 다행인지
살면서 알겠더라

알 듯 모를 듯
터 잡은

혹은 지나치는
소중한 인연 있어
얼마나 고마운지
살아봐야 알겠더라

불쑥 찾아온
마음 속 파문
조급한 생각에
어지러운 자책감이
얼마나 부질없는
상념인지
살고보니 알겠더라

그때는 정말 몰랐는데
지나보니 괜찮더라
돌이켜 생각해 봐도
살아보니 좋았더라
살아봐야 알겠더라

옛 것

나는 새 것보다 옛 것이 좋다
얘깃거리 묻어있는
오래된 것에
재미가 넘쳐난다

나른한 휴일 오후
심심함에 뒤적인 책상 서랍 속
구겨지고 색바랜 수집 우표들이
꼬리에 꼬리를 물고
아득한 추억을 이끌어 낸다

오래 전 곁에 두던 마이마이와
늘어진 카세트 테이프
거기서 흘러 나오던
다섯손가락의 새벽기차

아끼던 프로스펙스 운동화에
서지오바렌테 스트라이프 청바지
그리고 거꾸로 넘겨 쓰던
넛스러이 구그린 흰색 챙모자

그리 아끼던 것들이
어느샌가 흔적없이
자취를 감췄다

강남역 골목길
집 드나들 듯 다니던
스튜디오 80, 월드팝, V존은
기억하기 힘든 역사가 되었고
거기서 만났던 또래의 친구들은
누군가의 아내, 엄마,
이르면 할머니가
되어 있을게다

아끼던 옛 것들이
살다 바빠 사라지고
추억 속에 덩그러니
드리워 있다
아, 그래도 확실히 남은 건
둥그레진 몸과 여유로운 마음
많이 변하긴 했어도
이건 온전히
옛 것 남아 온 것이다

책상에 앉다

이른 아침 책상에 앉아
창문을 열어 젖힌다

새소리와 함께
제법 신선한 공기
시원한 녹음이
책상 위로
쏟아져 들어온다

무엇을 하러
앉은 것이 아니기에
차 한잔 들고
물끄러미 창밖을 바라보다
적어가는 글 한편
여유로움을 적다보니
제목이 인생이다

학생도 아닌데,
아니라서 그런지
책상에 앉는 것이
요사이 더 즐겁나

노을지기 이른시간

야속한 세월은
준비없던 인생을
이리저리 휘몰아 친다

누구에겐 관대하게
누구에겐 꽤 엄하게
가는 곳은 하나인데
여기저기 사는 소리가
외쳐대는 함성이
어지러이 요란하다

새롭게 밝아오는
일출의 장중함
피를 만들고 살을 붙이는
정오의 뜨거운 햇살

겸허히 고개 숙이는
노을의 그 수려함
모두가 애써 외면하는
긴 쉼이 있는
조용하고 거룩한 밤
누구도 예외없는
그 챗바퀴를 순서없이
돌고 돈다

그래도 아직은
외롭지만 아름다운 여정을
잊지않고 간직하려
걸음 걸음 멈춰서서
소중히 이름을 붙인다

찬란히 동트고
뜨거운 정오 지나
땀 닦고 돌아 앉은 오후
노을은 아름다우나

그래도 지금은

노을지긴 아직

이른 시간이다

느림의 미학

살수록 살아갈수록
느려야 지혜롭다

빠르고 급해서
실수가 생기고
오해로 고민하고

느리고 인내해서
여유가 생기고
식견이 늘어 간다

한때의 철 지난 세상은
느리면 바보 취급
빨라야 밥값 한다
정신없이 내몰았고

그시절 바삐 산 버릇이
기억 속 어딘가에 남아
내키지 않는 재촉을
가끔은 해대지만
다행히 알아차리고
나오는 지혜가 생겨났다

느림은
시간을 소비치 않고
시간을 풍요롭게 하고
기억 속 공간에
아름다운 자리를
주저없이 내어 준다

느림을 배우면서
지혜가 늘어나고
쓰는 여유가 생겨
느려지는 것이
오히려 즐겁고 행복하다

경의중앙선

잿빛 도시
등을 지고
문산에서
용문까지
먼 길 오가는
흰 구름
푸른 하늘
한가로운
경의중앙선

기세등등한
고속 열차에
이리 치이고
저리 치여
플랫폼 한쪽

자리하고
길 바쁜 손님
눈치 인사로 반기며
불안한
출발 순서를
소리없이 세고 있다

출근길로 이어진
철길의
싱그러운 녹음
덜컹이는 소음은
여행가의
꿈에 실려
저 멀리 행로를
이탈하여
아련한 꿈길처럼
내달리기 시작한다

흐르는 강물을

스치듯 미끄러져

드디어

팔당역 앞

약속된 출근길 반기는

아침 바람

비릿한 풀 내음에

여행가의 몽상은

다시 갈길 찾아

아쉽게

깨어져 버린다

너튜브

정확히
기억나지 않지만
꽤 오래 전부터
손바닥 화면 속
어지러이 돌아가는
너튜브 영상에
습관처럼
시간을 가둔다

아무런 느낌도
이유도 없이
넘쳐나는
그 영상들이
알고리즘이란
이름으로

꼬리를 물고 돌아
위태로운 자아를
흔들어 댄다

수많은
크리에이터가
저마다의
생각과 노력으로
그럴싸한 이야기를
어지러이
쏟아내지만
이래저래 비슷한
매일의 기억이
쌓이고 쌓여
뇌세포가
마시멜로처럼
하얗게 물러진다

강요받은

선택과

원치 않는

구독과 좋아요는

오늘도

백색 소음처럼

두눈을 어지럽히고

피곤한 손가락은

습관적인 클릭을

서둘러 이어간다

제2부 새로이 시작하는 일

관리사무소장(管理事務所長)

머물러서 좋으나
또한 오래 머물지 않아서 좋다

좋은 사람 동고동락 할 수 있어 좋으나
갑작스런 불안과도 마주하니
짓궂은 친구 하나 생겨 좋다

자격증 한 장
달랑 들고 들어와
그 자격증에 때가묻고 구겨져
애달픈 가슴에
잔주름 늘어가고

얄팍한 월급 봉투는
쉽사리 살이 붙지 않으나

그나마 용돈으로 쓰니
편하고 두둑하다

반복된 일상에 숨겨둔 진실은
부끄러운 속살을 보이지 못하고
작은 돛단배 움직이며
닻을 내리 올리는 작업을
수없이 반복해 댄다

그래도 오늘은
초라한 경험 안주삼아
술한잔 기울이니
딸려오는 위안은 덤이다

머물러서 좋으나
또한 오래 머물지 않아서 좋다

동대표

관리소장을 준비하며
나는
그와 얽힐 이런 저런 인연을
직감했다

시험을 보고
합격을 하고
소장이 되기까지
그 만남을
정성껏 준비하며 기다렸다

부임 후 마주한 첫 만남은
나의 막연한 바람보다는
현실에 좀 더 가까운
의심과 염려

그리고 바램의 중간 쯤
그 어디에 있었다

그래도 그 만남은
내가 지키고 가꾸어 갈
업이 이유가 아닌
동행의 연이다

때로는 비수처럼 떨어지고
차갑게 얼어붙은 말도
녹고나면 새싹을 돋우듯
싫고 좋음이 없이
동행은 계속해서 진행된다

익숙함에
말 안해도 알 수 있듯
그렇게 함께
걸어가야 한다

그래서 나는 관리소장

그는 동대표다

선거관리위원회

조용한 밤하늘이
어설픈 저녁을 밀어내고
사무소 문 삐걱이는 소리가
선관위의 시작을 알린다

한 삶터에
둥지를 틀었으나
가진 개성이 다르고
살아온 시간이 다르고
겪은 인생이 다르다

그리고 무엇보다
통보된 시간은 같으나
오는 시간이 다르다

간사라는 연으로 엮어져
이리저리 배회하는 논점을
뒤에서 조용히 갈무리하다가
위원회 전체가 아닌
한명 한명을 천천히 바라보니

살면서 쉬 마주치는
동네에서 흔히 보는
형이고 누나고 동생이다

위원회가 일상으로 다가온다

퇴근길

요란한 하루 잔상을 뒤로하고
사무실이 고요함으로
분칠을 하는 시간
혼자서 그 적막함에
인사를 하고
현관문을 나선다

영화처럼 지나간
반평생 추억을
먼지 접어둔 사진첩 한편으로
고이 보내고
새로이 시작한 일거리에
부려보는 호기는
내게 아직 붙어있는
작은 젊음이다

고민없는 인생이
어디 있으랴
변치않는 그리움이
어니 있넌가
살아본다고 산 인생 계급장이
세월앞에
찬란히 빛이 바랜다

퇴근길 들뜬 정신을
추스려 돌아오다
예상치 못한 상쾌한 공기에
상념 가득한 피로를
조금씩 날리다
내일은 휴일임에
문득 감사한다

휴일이 감사한 날이
다시 되어간다

자격증(資格症)

인정받으려 필요한
인정해 달라 내보이는
자격증이
이리도 많았나

자격증을 보태지 않으면
평범함 속에 묻히고
거기서 나오려면
붉은색 사각도장 선명한
종이장 하나라도
밀어 넣어야 될 듯하다

경험 속에 빛나는 사람도 많지만
쉽게 재단하는 분위기에
쉼없는 뜀박질과 바톤 교체를
요구 당한다

이게 좋다니 이리 기웃
저게 좋다니 저리 기웃
이리 저리 돌고 돌아
자격증(資格症)을 앓는다

이미 자격이 충분한데
그걸 혼자만 모르고
끊임없이 자격증(資格症)을
앓고 있다

온전히 자기 시간을 지키고
스스로 소중히 쓰고 위하는
처방이 필요한 게다

이미 자격이 충분한 당신이다

징검다리 평일

징검다리 평일
달력 붉은색 단풍진 숫자를
검은색으로
하나씩 갈아 끼운다

늦은 토요일 회의
흩어진 파편들이
일요일 아침
수많은 청구서를 만들고
또다시 징검다리 평일에
여름 찬 소나기 한바탕 뿌려
상쾌한 아침이다

경애하는 수천명 고용주의 관심에
떠밀리는 뿌듯함도 잠시

소박한 경험들을
하루하루 보태려
징검다리 평일의 끝자락을
오늘노
부여잡고 있다

다시 느껴가는
나란 놈의 묘한 상쾌함이다

공실연 헌정 詩

정주행 기관차가
갑자기 멈춰 선
이름 모를 역 앞에서
아직 젊은 몸에
생소한 공황감을 이겨 내려
무언가를 처절히 해야 했다

생각이 여물기 전
어지러이 시험을 보고
이리저리 기웃대며
우연히 공실연을 만났다

내가 만난 공실연은
댓가 없이 도와주며
보태어 돌려주고
주는 것에 인색함 없는

순백의 플랫폼이다
계산 많고 분석 좋아하는
대기업 임원
얄팍한 땟국물 덜 벗겨진
나의 의심을 비웃 듯
정성어린 자원봉사
열정넘친 재능기부가
꼬리에 꼬리를 문다

한겨울 한기 맞은 몸뚱이를
따스한 욕탕에 담군 뒤
스며드는 포근한 온기처럼
공실연은 그렇게
그들을 정성껏 다독인다

해가 바뀌어
이제 새로운 님들이
오고 있다

*공실연: 공동주택관리실무연구회

고마운 분께
- 공실연 정○○ 고문에게 -

그는 단아하다

받는 기다림 보다
주는 여유가 넘쳐난다

모지고 흐트러진 말들을
조용한 물살에 가두어
맨들한 자갈을
만들어 낸다

그 자갈을 모두어
편안한 집을 짓고
그 집이 좋아
하나 둘씩 모여든다

모여든 편안함 이상의
기대감에
변함없이 돌아오는
나성함이다

변치않는 그다

그래서 모두가 좋아한다

다름 이해

그냥 다를 뿐이다

다름에 이해없이
달라서 자극이 와도
그렇게 그냥 스치듯이
인정해야 된다

내 속의 무언가가
다름을 해석하고
옳고 그름을 판단하여
설득과 주장으로
잘잘못을 가리지
못하게 해야 한다

인정을 하지 못해
그저 지나치지 못해
쓸데없이 몰입하면
시산이 오염되고
작은 상처가 되어
기억에 소용돌이를 만든다

잠시 스쳐 지나감을
그냥 다름을 인정하고
가벼운 바람처럼
그저 지나갈 뿐이다

몰입은
원래의 목표를
잊게 만들지만
그래도 정신을 차리고
제자리로 돌아오는 연습을
미리 해두어야 한다

그래야

살아가는 것이

즐겁고 편안하다

제3부 일상에 서서

말에 대한 고찰

말을 잘해
인정을 주고 받고
그 말 때문에
상처를 주고 받는다

말이 힘들게 하고
말이 힘나게 하고
말이 말의 꼬리를 물어
그 말 때문에 오는 밤이
기약없이 길어진다

많고 적지 않게
그저 필요한 만큼만
그래야
주고 받음이 편하지만

결국은
조바심에 참지 못하고
뱉어버린 그 말 때문에
밤이 하얗게 불이 붙는다

말없이 돌아서서
머릿 속에 되내이는
수많은 말들을
세치혀로 삼켜버리고
긴밤의 끝을
가차없이 접어 내린다

이별 연습

갑자기 이별하면
많이 아프고 혼란하다

시간이 넉넉할 때
이별 준비를
천천히 그리고 조용히
해 두어야 한다

시작이 있으면
끝으로 가는
예정된 순리에
마음이 요동치지 않게
서서히 담금질 하고
적응의 시간을 주어야
흔들림이 없다

시작은 가까이 있고
끝은 멀리 보여
그래서 선을 그어 보려 하지만
기억을 못하는 사이
여지없이 내달려
그 끝으로 안내를 한다

그땐 이미
타협없는 아쉬움과
그리움이
남아있을 뿐이다

반가운 만남

약속 장소로 가는
한여름 정오 뙤악볕
친구와 낮술 한잔 설레임에
발걸음 발걸음을
재촉한다

젊은 시절 함께 하며
산더미 추억을 쌓고
이래저래 고군분투하다
볼 때를 놓친
친구와 후배다

반가운 얼굴은
세월을 버티지 못해
가로세로 주름이 가고

몸은 세월 병으로
여기저기 골고루 청구서를
내밀지만
마음만은 세월이 약이 되어
하는 얘기마다
위로와 여유가 넘친다

부드러운 위스키
목넘김 만큼
견뎌온 세월
살아온 얘기
귀넘김이 즐겁다

더해지는 잔술에
오르는 취기는
아쉬운 헤어짐을
재촉하지만

다시 이야기 할
새로운 추억을 예약하며
발걸음 발걸음을
옮긴다

돌아오는 길
뜨겁던 뙤약볕이
시원한 소나기로
바뀌었다

헤드헌터

이리 멀리 왔는데
돌이킬 수 없이
한참을 지나 왔는데
저기 멀리서
와보라 손짓을 하네

고민하고
돌이켜서
한숨 한번 내쉬고
그렇게 다시 오라
손짓을 하네

머리는 내길이 여기라 하는데
가슴이 아직
두근대는 건

미련이 남아서 인가
추억이 그리워서 인가
문득 다가선 제안은
아득한 기억을 소환하지만
이내 미련임을 감지한
현실은
손사래 치며
다시금 발걸음을
옮기자 재촉하네

여기가
내 길이라네
천천히 계속해서
걸어가야 할
내 길이라네
내 인생이라네

병원에서

병원은
진료실 네모난
인공지능 코치의 조언을
쉼없이 훑어가며
성스런 과업을 완수하는
누군가의 바쁘고 여유없는
일상 공간이다

병원은
걱정되고 두려운 마음에
비장한 결별의 다짐에도
아프면 줄서서 믿고 찾는
애끓는 금단의 피난처다

병원은

누군가에겐 병을 알게 되는 곳이고

누군가에겐 병이 낫는 곳이며

누군가에겐 병이 나는 곳이라

병동사이

바쁜 얼굴과 얼굴 들에

갖은 아픔과 걱정으로 가슴이 아리다

오늘 여기 원무과

드르륵 드르륵

차가운 매출 전표 소리에

스쳐가는 목소리와 눈빛들

누군가의 무언가가

잘되기를

조용히 기도해 본다

도서관 단상

청년시절 여기서 정신을 자주 잃었고
남이 볼까 흐른 침을 급하게 수습하고
젖은 책과 노트를 꾹꾹 누르나
자국은 우글쭈글
처량하게 남아 있었다

솔담배 팔팔 연기 사무쳐
자주 비운 열람실 자리
넘어가지 않는 책장은
소녀 가장처럼 스스로
학습을 이어갔다

오십 중반에 여기 다시 보니
책장 넘어가는 소리가 편안하고
정신은 또렷하고

설혹 무너져도
세월로 침이 말라
쉽게 쏟아지지 않으니
책과 노트가 젖을 일은 없고

담배를 끊었으니
장시간 착석이 가능하여
학습 능력이
오히려 역주행한다

같은 장소인데
세월이 주는
소박하고 담대한 변화가
신기하다

금요일

금요일은
특별한 약속이 없어도
그날의 고유한
설레임이 있다

휴식을 앞둔 저녁과
반복구매가 일상인 쇼핑
대책없는 주말마저
금요일의 기대를
저버리지 못한다

주말은 여지없이
거실 쇼파와의 동거로 이어지고
달콤한 낮잠이 내려 앉지만
금요일의 기대가

여전히 남아있는 건

휴식이 주는 그 관대함 때문이다

불타는 금요일이어도 좋고

썸타는 금요일이어도 좋고

그리운 약속을 못잡아

속타는 금요일이어도 좋다

휴일을 앞둔

금요일 저녁이

두근두근 다시

다가오고 있다

마누라

동그란 얼굴에
동그란 눈망울
동글진 곱슬 머리에
성격도 동글지다

예민한 듯 유별난
남편 잘 되라
노심초사 뒷바라지에
쌍둥이 철없는 아들 녀석
어르고 키우느라
앞으로 웃고
뒤로 눈물 지었다

이제 그 시간들이
영글고 진화하여

예상치 못하게
새로운 장르로
바뀌어지는 중이다
유튜브로 드라마 보며
강의 준비하는
마성의 신공이 펼쳐지며
밤마다 오이 얇게 썰어
얼굴에 붙이고
꾸벅 꾸벅 조는
개그감도 생겼다

함께 살며 보는 재미가
이토록 쏠쏠한데
누구도 대체불가
오직 당신만이
함께 살아갈
함께 늙어갈
내 마누라입니다

사랑하는

내 마누라입니다

술 한잔

젊었을 때에는
철없이 몰래 배운 술 탓에
술 맛을 모르고
취하려고 마셨다

취하려 마셨으니
마신 뒤에 여지없이
먹은 것을 확인하는
거사를 치뤘고
멋으로 술병 뚜껑 돌려 깐
잔금 많던 치아는
이제서야 청구서를 내민다

술맛은 나이가 들어서 알 것 같다

맥주는 갈증을 식히려 마시는 술이고
소주는 안줏발로 마시는 술이며
양주는 분위기로 마시는 술이고
사케는 작업할 때 마시는 술이다

요즘은 고량주를 자주 마시는데
식도를 타고 흐르는 따스한 느낌과
마시고 난 후의 숙취가 없어 좋다

술을 취하려 마시지 않으니
술에 취하지도 않는다

술은 그냥 추억하는 도구고
거추장스런 감정의 껍데기를
벗겨내는 데 작은 도움을 줄 뿐
그냥 좋은 만남에
조금 곁들이는 것이다

그래야 술이다

덧붙이는 말

인생 2막에 결정하고 선택한 길을 스스로 걷기 시작하면서 또 어떤 이야기가 펼쳐지고 변화가 몰려올지 큰 기대와 설레임이 있었고, 이제 그런 감정들을 하나하나 모아서 시 속에 녹여 보고자 합니다.

인생 전반기 앞만 보고 달리느라 오랜 시간 마비되어 있던 원초적인 감성들과 순수한 느낌을 심폐소생 하듯 하나씩 살려내 졸필이나마 부담없이 다가가는 시를 꾸준히 써 가고 싶습니다.

언젠가 시가 모이고 책으로 엮어져 그렇게 한권 두권 늘어가면 인생도 그렇게 풍성하게 영글어 가겠지요.

이 시집의 출간과 더불어 철없고 무심한 남편의 인생 전반기가 당당히 마무리 될 수 있게 노심초사하며 헌신적으로 도와 주고, 아직은 철없지만 몸과 마음 건강한 두 아들을 훌륭하게 키워 준 누구보다 사랑하는 아내에게 진심으로 고맙고 사랑한다는 말을 전합니다.

그리고 낳아주고 키워주신 부모님께도 감사드린단 말을
무뚝뚝한 아들이 지면을 빌어 쑥스럽게 전하며 항상 건강
하시길 바랍니다.

작가약력

滿泉 이 동 우

작가는 1967년 서울에서 태어나
성균관대학교 전자공학과를 졸업하고
삼성그룹에 대졸 공채 33기로 입사하여
삼성전자 동남아총괄 해외주재원
삼성전자 전략마케팅팀 부장을 거쳐
삼성물산 리조트사업부 상무로 퇴임함
주택관리사보 25회 시험에 합격하여 주택관리사로
인생 2막을 시작함
시집 『노을지기 이른시간』, 『햇살에 기대다』를
출간하여 활발한 작품활동을 이어가고 있음

滿泉 이동우 작가

시선1집 **노을지기 이른시간**

시선2집 **햇살에 기대다**

계속 출간 예정입니다